변화의 프로세스

발 행 | 2023년 4월 20일

저 자 | 세르게이

펴낸이 | 세르게이

펴낸곳 | 노마드홈

출판사등록 | 제 2023-000010 호

주 소 | 원주시 남원로 636-3

전 화 | 010-2078-8222

이메일 | wherau_lucifer@gmail.com

ISBN | 979-11-982847-7-8

www.bookk.co.kr

23년 4월 4일 원고를 마감하고, 어느 날.

누구나 프로세스를 통해 즉각적으로 삶에 변화를 만들고 현실적으로 꾸준히 성장할 수 있다. 삶에 변화를 원하는 누구나 이 도구(변화의 프로세스)를 활용하여 자신의 생각과, 언행, 습관과 본인의 성품을 "원하는 대로", "의지대로" 정복할 수 있기를 바란다.

[프롤로그]

"세욱 무슨 생각이 그렇게 많아?"

어느날, 잠자리에 누워 생각하던 중에 샛별이 갑자기 물었다. 너무나 깊은 고민에 빠져 누가봐도 고민이 많은 사람처럼 보였나보다. 그당시는 1년간 육아휴직을 받고 아기를 위한 하루를 살던 때였다. 나를 위한 무엇도 할 수 없다는 무력감과 마치 꽉막힌 도로에 서있는 차에 앉아 길이 열리기만을 기다리는 사람처럼 하루하루를 보내고 있었다. 무엇이라도 하고 싶다는 생각이 불타올랐다.

'내가 정말 잘할 수 있는 것은 뭘까?...'

시간도 늦고 이야기가 길어지면 미안해 질 것 같아서 같아서 아내에게 양해를 구했다 " '자장가'라고 생각하고 들어 볼래?" 한참 동안 하던 고민의 대한 이야기를 시작했다.

어느 어버지가 아들에게 "생각하는 대로 된다."라는 말을 알려주며 그말을 계속 반복하라고 시켰었는데, 그리고는 어느날 아버지는 갑작스럽게 아들에게 물었어.

"너 지금 무슨 생각 하니?"

아들은 "아무생각 안하는 데요?"

"생각하는 대로 된다니까?"

"네?"

아버지는 종종 비슷한 질문을 반복했고, 매번 아이는 당황했지. 하루는 아버지가 이렇게 말씀하셨어.

"뭐 그럼 아무것도 안되겠다는거야?"

"...?"

"생.각.대.로. 된다니까?!"

그 간단한 질문이 생각하게 된 계기가 됐데.

"난 무슨 생각을 하고 있지? 난 지금 어떤 것에 집착하고 있지? 어떤 생각을 계속 반복하고 있지?"

"그래 난 내 OO에 대해 생각하고 있어. 세상에 어떤 영향을 끼칠지 생각하고 있어."

생각대로 된다는 건 정말 말 그대로 생각대로 될 수 있다는 말이고, 모든 것은 생각에서 비롯된다는 거야. 생각이 없으면 말과 행동이 있을 수 없고, 어떠한 생각을 하면 그것과 관련된 말과 행동을 할 확률은 높아지지. 그리고 만약 선택해서 생각하고, 의도적으로 말하고 행동한다면 정말 변화가 생길 수 있지 않을까.

우리 삶에서 우리가 통제 가능한 것은 우리의 감정과 생각 뿐이야. 그외의 모든 것들은 여러가지 요소로 인해 복합적인 결과를 발생시켜. 인간은 오직 생각과 감정만을 통제할 수 있고, 생각과 감정을 고르는 방법은 매일 입을 옷을 고르는 방법과 같이 배울 수 있는 능력 중 하나야. 바로 생각하는 능력. 그 능력은 분명히 기를 수 있는 능력이야. 감정을 통제하고 싶다면, 생각에 집중해야 해.

이날 밤 아기를 재우고 밤늦게 까지 샛별과 이야기를 나눴다. 줄 곳 해오던 생각을 아내에게 공유하는 과정에서 내가 가진 생각에 대한 생각은 7단계로 *정리되었다.*

다음날 아침 아침 일찍 눈이 떠졌다. 그리고 잠이 오지 않았다. 샛별과 이야기를 하고나서 책을 써야 겠다는 생각이 들었다. 일찍부터 일어나 검색을 시작했다. 책 쓰는 법부터 출판사, 독립출판 등 가리지 않고 찾았다. 이를테면 출판에 필요한 것은 원고와 책 내부외부 디자인, 출판사와 컨택 또는 개인출판 등이 가능하다는 것을 알게 됐고, 그 이외에도 전혀 알지 못했던 분야의 것들을 금세 알 수 있었다.

답은 간단했다.

'원고＝책'

당연한 것이지만, 글이 먼저 있어야 한다. 그리고나서 원고로 부터 디자인이 나오고 책이 만들어 지고 그 이후의 과정들이 진행이 가능하다는 것을 알게 됐다. 다시 말해 당장 원고를 쓰는 것 말고 더 중요한 것은 없다는 것을 알고, 이날부터 생각을 글로 정리하기 시작했다.

목차

[나, 하루 종일 무슨 생각하지?]

"생각하는대로 된다."

생각대로 된다는 것은 어떤 의미일까? "무슨 생각해?"
일상적으로 누군가 당신에게 묻는다면, "그냥 아무 생각
없는데,?" "그냥 유튜브보고 있는데,?" "점심 뭐 먹지, 어제
돈가스 먹었는데"와 같은 생각으로 보내는 시간들이 많다.
변화의 관점에서 봤을때는 아무런 생각 없이 보내는
시간들로 볼 수 있다.

그냥 아무 생각이 없다면, 단순히 더우면 벗고 추우면 입고
고프면 먹고 부르면 자는 것과 같이 앞으로 아무일도
일어나지 않을 것이다. 무슨 일이 일어나더라도 우연히 주변
환경변화에 따라 흘러 흘러가는 것일 뿐이다. 매일같이
무엇을 먹을지 따위만 고민한다면 역시 아무런 일도
일어나지 않을 것이다.

혹시 과거나 미래에 대한 걱정을 하고 있을 수도 있다.
"내가 말을 잘못했나.? 불편해 하면 어쩌지..?" "아 야근하기
싫은데, 칼퇴할 수 있나?" 지난 사건에 대한 후회나
일어나지 않을 미래에 대해 걱정하고 있다면, 미로에 갇힌
것이다. 이 미로는 매일 반복되고 반복되며, 자신의 현재를
갈아먹고, 과거에 머물게 만들거나 일어나지도 않을 공상에
빠져 허우적 거리게 만든다. 심지어 자신감을 잃게 하거나
우울하게 만들 기도 한다.

그럼 무슨 생각을 한단 말인가. 예를들어, 결혼을 준비하는 사람은 하루종일 거의 대부분 시간을 결혼 준비에 관한 생각을 한다. 예식장부터 신혼여행지까지 프러포즈부터 신혼집까지 이런저런 생각으로 하루가 바쁘고, 무엇을 하던 그 생각에 빠져있을 수 있다.

외식업을 막 시작하는 사람들 중 일부도 그렇다. 하루종일 식당에 대한 생각으로 가득할 것이다. 위치선정부터 투자금, 직원은 어떻게 구해야 할지 음식 메뉴와 가격 등 밥을 먹을 때도, 잠 자기 전에도 그것과 관련된 생각으로 가득할 것이며, 다른 식당에서 식사를 할때에도, 왜 손님이 많이 오는지, 보안할 것들은 무엇이 있을지, 보증금과 월세 권리금등에 합리성까지 생각해볼 수 있다.

하루 동안 어떤 생각들을 하면서 보냈는지 떠올려 보라. 당신의 미래는 그대로 될 것이다.

단 하루만,

단 하루만, '바보 상자' 전원은 꺼둔체, 노트북이나 컴퓨터를 열고 SNS를 아예 보지 않고, 본인이 원하는 것에 대한 정보를 모으고 정리한다면, 같은 관심 분야의 99% 사람들보다 나아질 수 있을 것이다. 99% 사람들은 단 하루도 이러한 행위를 하지 못하며, 해봐야겠다는 생각조차 한 적이 없다. 실제로 돌아보라. 단, 하루라도 본인이 관심있는 것에 대해 심도있게 공부한적이 있는지, 길거리에

대박난 음식점들 조차 단 3일만 공부하면 만들 수 있는
음식이 대부분이라고 했다.

눈감고 앉아서 멍때리는 듯이 골똘히 고민하는 것은 생각의
마지막 단계이다. 아무리 하찮은 전략이라 할지라도 목표에
대한 정보를 모으고 정리하는 것은 전략을 세우는 첫 번째
단계이다. 단, 하루만 이라도 조사하고 공부하고 정리해보자.

Step1 <생각하기>

Search

평소에 원하는 것이 있던가? 잊고 미뤄두었던 것이 있는가?
취미활동도 좋고, 다이어트도 좋다. 성격을 바꾸고 싶거나,
직장을 옮기고 싶은 것도 좋다. 더 열심히 공부하고 싶거나
더 열심히 살고 싶은 마음도 좋다. 무엇이든 변화를
원한다면 그렇게 될 수 있다. 평소에 항상 생각하던 것을
떠올려 보자.

내가 갈망하는 삶을 사는 사람들을 찾아보고, 그들이 어떤
삶을 사는지 어떻게 그렇게 될 수 있는지를 조사해라. "이거
좋더라." "저게 좋더라." 하는것들을 모두 모아 적어보는
것도 방법이다. 가능한 많은 정보를 모으고 찾아보는 것이다.
그것들을 찾는 과정에서 생각지도 못한 결과를 얻는 경우도
많다.

Study

학창시절 책상에 앉아서 하는 공부를 하라고 하고 싶지는
않다. 책을 펴서 문제를 풀고 외워야 하는 것들을 외우고,
그러한 것들은 주입식 교육의 단편적이 '예'에 불가하다.

일상생활에서 내가 원하는 것, 또는 모르는 것에 대해
알아가는 모든 과정은 공부가 된다. 생각하기에 따라서
친구들과 카페를 가서 이야기를 나누는 것 또한 커페에
대한 공부가 될 수 있고, 말 잘하는 법을 배울 수도 있고,
심지어 관심사에 대한 정보 공유 등 배우려는 의지가
있다면, 모든 행동이 공부가 될 수 있다.

공부 한다는 생각을 갖는 것 만으로도 일상 생활에 많은
공부가 시작된다.

No SNS

Tv를 바보 상자라 부르던 시절이 있었다. 긴장감을 고조하기
위한 의도적인 반복연출이나, 시각적으로 모든 것이
설명되도록 최대한 전달하기 쉽게 만들어지는 방식이나,
소비를 촉진하기 위한 의도적인 방송들은 상상력을 잃게
만들고 생각하는 것을 귀찮은 것으로 만든다.

 Tv는 Youtube와 instagram등 스마트폰으로 옮겨졌으며, 별
다를 바 없는 바보 상자를 요즘엔 '똑똑한 폰', '스마트 폰'
이라고 부르고 있다. 한국인 SNS 이용률 89%, 1인 평균 월

유튜브 이용시간 1일 3시간 7분으로 많은 시간을 영상 매체로 보내고 있음을 알 수 있다. 만약 하루 4시간을 SNS에서 머물고 있다면, 월 120시간 일단위로 계산했을때 30일중 5일을 잠도 자지 않고 SNS세상에 살고 있는 것이다.

많은 사람들이 생각하는 방법이나 스스로 무언가를 배울 능력 자체를 잃어버린 것 같다. 생각하고 사색하는 시간이 다른 것들로 가득 차버린 세상이다. SNS,TV 또는 다른 방해 없이 단 하루라도 '그것'만을 생각한 적이 언제인지 떠올려보자. 어떠한 것을 위해 깊은 고민에 빠져 정보를 모르고 공부를 하고 고민을 했던 적이 있는가?

<정리하기>

정리의 법칙

정리에는 법칙이 있다. 전부다 모아서, 비슷한것끼리 분류하고, 버릴 것을 정해 버리고, 나머지것들은 중요도나 용도별로 정돈한다.

step1에서 관심사에 관해 조사하거나 공부를 하고있다면, 정보는 쌓이고 정리가 되지 않기 마련이다. 점점 쌓이는 정보를 정리할 수 있어야 한다. 카페를 차리고 싶은가? 직장을 그만두고 싶은가? 대학에 가고 싶은가? 가고 싶지 않은가? 벌써 은퇴를 꿈꾸는가? 늦었지만 새로운 일을 시작하고자 하는가?

변화는 설레고 궁금하지만, 낯썰고 어둡다.

다이어트를 한다고 개인 트레이닝을 등록해도 그때 뿐이며, 심지어 만족스러운 결과를 얻지 못 했음에도 '그러니까 내가 피티라도 받는 거지'라며 한심한 소리를 하기도 한다. 카페를 차린다고 몇해전부터 말을 꺼내지만 카페 아르바이트 조차 해보지 못하고 있을지 모른다.

하고 싶다면, 깊게 고민해야한다. '그냥 하고 싶은 일을 할 거야'라는 생각은 '될 대로 되라지'라는 것과 크게 다르지 않다. 왜 원하고, 어떻게 잘 할 수 있을지를 고민해 보고, 어떤 것부터 하면 카페를 차리는 첫걸음이 될 수 있을지를 정리하는 것이 **생각이 행동으로 이어지는 전략**이다.

Why? 왜?

나는 보통 무언가를 할때 왜 해야하는 지를 생각하고, 그다음에 무엇이든 시작한다. 그리고 그 이유는 다시 떠올리지 않는다. 왜를 반복적으로 떠올리면 생각이 이리저리 혼란스러워 지고 다른사람에게 듣는 한마디에 흔들리기도 한다. 왜라는 이유는 처음에 한번 깊게 생각이 정리되면 더이상 생각할 필요가 없다.

카페는 왜 차리고 싶은걸까? 커피가 좋은지, 돈이 벌고 싶은지, 분위기가 좋은지, 어릴때 부터 안정감을 받았던 공간이 카페였는지, 카페에 대해 잘 알아서 라든지 다양하고 깊게 생각해서 자신만의 이유를 찾자.

변화를 이어가는데 있어서 이유는 가장 큰 역할을 한다. '초심을 잃지 말자'는 너무나 유명한 말처럼 처음 마음 먹은 생각이 행동은 끝까지 이어가는 원동력이 되는 경우가 많다. 그리고 생각이 확실한 사람들은 이랬다 저랬다 초심이 확실한 경우가 많다.

How? 어떻게?

그 다음부터는 간단하다. 어떻게 하면 그것을 할 수 있는지 다시 조사하고 공부하고 검색하는 것이다. 아주 간단하지만, 하루 동안 SNS 없이 그 어떤 방해 없이, 바보상자 없이, 무언가를 원하는 것을 위해 조사하고, 공부하는 것을 시도조차 해본적이 없다면 더욱 막막한 기분이 들 수 있다.

조사하고 공부하는 것은 생각하는 단계에서 끝없이 반복되어야 할 부분이다. 인터넷이 발달되지 않은 시대였다면, 아마 정보를 찾기 위해 발로 뛰고 사람들을 만나러 다녔어야 했을 부분이다. 인터넷이 상용화 된 세상에서 정보를 찾기란 상대적으로 너무 너무 쉬워졌다. 그럼에도 불구하고 정보를 찾기 위해 인터넷 세상을 돌아다니는 사람은 별로 없다.

요가원을 차리려면 어떻게 해야될까? 자격이 필요하고 공간이 필요하고, 교육할 내용이 필요하고, 장소나 플렛폼이 필요하고, 고객들이 필요할 것이다. 어떤 고객들이 주로 고객이 되는지, 요가하는 사람들은 어떤 옷을 즐겨입는지, 어떤 인테리어를 좋아하는지, 어떤 분위기의 사람들이 요가를 하는지. 사회에서 요가라는 것이 가진 이미지는 어떠한지, 그리고 요가의 역사부터 요가의 어원 등 알지 못했던 것이 끝없이 있을 것임으로 시간과 노력을 녹여 배워 나가야 한다.

이러한 것들을 꼬리에 꼬리를 물며 확장 시켜 나가야 한다. 무작위 정보를 나의 생각에 맞게 재배열하고 내 것으로 만드는 과정이 된다. 백지에 적으며 정리하는 것이 가장 좋고, 할 수 있다면 타이핑해서 정리해도 **좋다.**

What? 무엇을?

요가원을 차리기 위해 요가학원을 등록할 수도 있고, 자격증 시험을 준비할 수도 있다. 일찍 일어나기 위해 지금 즉시 매일 6시 알람을 맞춰두었을 수도 있다. 다이어트를 하기 위해 하루 2L 물 마시기를 시작하며 당장 물 한잔을 마실 수도 있다.

무엇을 하는 것이, 무엇을 하지 않는 것이 도움이 될지 알아보는 것이다. 생각나는 모든 것을 적고, 분류해보자. 당장 하거나 하지 않을 것, 계획하에 하거나 하지 않게 될 생각보다 달라진 당신의 모습을 반가워하는 기존의 인간관계는 많지 않을 것이다. 사실은 달라진 그 삶자체를 이해할 방법이 없다. 그러한 멀어짐으로 인한 불안이나 걱정으로 마음을 오픈하지 못하는 것 보다 본인이 가진 생각을 오픈하고 모든 변화를 받아들이는 것이 외적으로도 변화되는 첫 변화일지 모른다.

미혼주의 친구들과 멀어지고 임신부 친구들이 하나 둘씩 생기기 시작할 것이다.

첫 번째 파트인 [나, 하루 종일 무얼 생각하고 있지?] 에서 1,2,3 스텝(생각하기, 정리하기, 공유하기)를 통해 무엇이든지 시작할 수 있는 힘을 갖을 수 있다. 이 용기는 일시적이지만 강력하다. 원하는 것이 무엇이든지, 다이어트든 해외 여행이든 취직이든 퇴직이든 깊게 고민할 수 있는 계기를 제공할 것이다. 또한 그러한 상상이 현실이 될 수 있도록 구체적이고 현실적인 그림을 그리고 있는 자신을 발견하게 될 것이다.

Open 마음열기

일반적으로 가벼운 주제로만 대화를 하던 상대와 평소
하지않던 이야기를 주제로 대화가 쉽지 않을 수도 있다.
응원이나 긍정적인 반응이 아닌, 무시하고, 부정하고,
무관심한 반응을 보이더라도, 상처받지 않는 것이 중요하다.
본인이 놓친 것을 알고 부족함을 받아들여라. 자신과 다른
생각을 가진 타인의 생각을 처음에는 모두 수용하고
받아들이는 것이 성장하는데에 가장 빠른 길이다. 일단
받아들이고 곧 씹어보라.

변화 한다는 마음 자체로 기존에 익숙했던 인간관계에서
어색한 분위기를 형성하기 충분하다. 비슷했던 사람이
달라지면 더이상 비슷한 사람이 아니기 때문에 본능적으로
거부반응을 느끼는 경우가 많다. 갑자기 성공하거나
실패하거나 취직하거나 사업을 시작하거나 결혼을 하거나
아이를 낳거나 등 너무 다른 환경으로 이동하게 되면
기존의 인간관계가 서먹해지는 것과 같은 초기반응일 수도
있다.

미혼주의 모임 10명 사이에서 한명이 임신을 하고 아이를
나았다고 상상해보자.

Talk 말하기

생각하고 정리한 것을 공유하는 이유는 생각을 더 발전시키고, 타인들에게 공표 함으로서 책임감을 찾기 위함이다. 사람들과 눈을 마주치고 이야기 하는 것은 강한 책임감을 형성하고, 그 자리에서 즉각적으로 상대방의 반응을 확인 할 수 있고, 운이 좋다면 도움되는 피드백 까지도 받을 수 있다.

이야기는 거창 할 필요도 없고 완벽할 필요도 없다. 가볍게 평소 자주 이야기 하는 사람에게 "요즘 이런 계기로 시험 공부를 시작했는데, 이런저런방법으로 해보려고, 어떤 것 같아?" 구체적으로 설명하되 처음엔 큰 맥락만 이야기 하는게 좋은 것 같다. 많은 생각이 있겠지만, 처음부터 너무 세부적인 이야기를 떠들면 누구나 질색하기 마련이다.

평소 말을 길게하는 성격이 아니라면, 그저 공표하듯이 이야기하는 것도 좋다. "언니 저 다이어트 시작했어요." 와 같은 하루에도 백번 듣는 말이라도, 조사하고 정리하고, 깊이 생각한 사람이 이야기 하는 말은 그에 담긴 힘이 분명히 다르게 느껴진다.

Write 쓰기

내가 내 뱉는 말중에 내가 듣지 않는 말은 없다는 말이
있다. 그와 같이 내가 적는 것 중 내가 읽지 않는 것은 없다.
따라서, 누군가 이야기 할 사람이 없거나 말을 잘 떠벌리고
다니는 성격이 아니라면 적는 것도 좋다. 생각을 적는 것은
누군가에게 말하는 것 이상이나 효과를 발휘할때가 있다.
가득 찬 생각들을 종이나 노트북에 털어 넣을때 사람들은
간혹 무아지경이 된다. 그러다 보면 무의식적으로 잊고 있던
생각이나 하지 못했던 생각들이 떠오를 때가 있다. 생각이
더 구체화 되는 과정이다.

또한 내가 적은 것을 다시 읽어보는 것은 나의 부족한
생각을 즉각적으로 보충할 수 있는 좋은 방법이다. 글을
길게 적는게 익숙하지 않다면, 단어 위주로 적어보거나,
도표나 그림을 그리면서 정리해보는 것도 아주 좋은 방법이
될 수 있다.

이런 행위는 스스로에게 책임감을 부여한다. 주변 사람들이
아니더라도 일기장에 적힌 결심 또한 책임감을 부여하는데,
'맞아 이때 내가 이렇게 하기로 결심했었지.'와 같이 잊고
있던 기억은 여전히 변함 없는 내 가치관은 확인
시켜주기도 하고, 포기 하고 있던 일을 다시금 시도할 수
있게 해주기도 **한다.**

무엇을 해야 하는지 알겠다면, 적거나 말해보는 과정이 상당히 중요하다. 공유하는 과정에서 뒤죽박죽 했던 생각들이 정리되기도 하며, 미처 생각지 못했던 점들이나 잘못된 점을 찾게 될 수도 있다. 공유하기 시작하면 생각은 흐르는 물처럼 머리 속을 순환한다. 단, 너무 나불대면 나불이가 될 뿐 말과 생각의 무게는 점점 가벼워 지기만 한다.

이 과정에 이점이 하나 더 있는데, 바로 책임감이라는 마음이다. 사람들에게 공유하는 과정은 자신도 모르게 결심을 하게 되는 과정인데, 자연스럽게 최소 1명에 사람에게 공지하게 되는 과정임으로, 시간이 지나서 슬럼프가 오거나 포기하고 싶다는 생각이 들때, 소위말해 '뱉은 말을 지키기 위해' 무의식적으로 또는 의식적으로 다시 한 번 책임감을 갖게 만든다. 이 마음은 한번 생기면 쉽게 사라지지 않기 때문에, 길을 잃었을때 방향을 잡아줄 등대 역할이 되어 줄 수 있다.

어떠한 것을 하고자 하는 강한 동기와 그에 대한 책임감까지 더해진다면, 나아가는 힘은 더 강해지기 마련이다. 공유하는 방법은 성향에 따라 다양하다. 글로 적기도 좋고 말하기도 좋다. 또는 SNS같은 곳에 공지하는 형식도 **괜찮다.**

것. 아침 일찍 일어나기 위해 핸드폰 알람을 설정하는 일 따위는 당장에라도 변경이 가능하지만, 요가원을 차리기 위해 다니던 회사를 퇴사하는 것은 조금 미루며 준비하는 것이 좋아 보인다. 따라서 당장 할 것과 시간을 두고 할 것을 분류하는 것이다.

당장 이 책을 읽는 것을 멈추고 스스로 원했던 것을 돌이켜보는 것이 더 도움이 될 수도 있다. 하고자 했던 것 이루지 못한 것, 미루어 두었던 것, 무엇이든 좋다. 왜 그것을 멈추게 되었는지, 왜 미루게 되었는지, 그것을 가로막고 있는 것은 어떤 것들인지. 누가 방해가 되는지, 필요하지만 내게 없었던 것은 무엇인지 등. 생각하고 조사해 보아라. 그리고 정보들을 백지에 적거나 노트북에 타이핑하며 최대한 많이 모아라.

'나'는 무엇을 원하는지 알겠고, 왜 그것을 향해 가는지도 알았으며, 어떻게 그것을 할 수 있는지, 무엇부터 당장 시작하고 무엇을 차근차근해야 할 지 알게 될 것이다.

<공유하기>

물은 고여있을때 보다 끊임없이 흐를 때 더 큰 효과를 발휘한다. 우리의 생각도 머리속에만 담아두면 썩어 없어지기 마련이다. 충분한 정보가 모였고, 왜, 어떻게,

[나, 하루 종일 무얼 하고있지?]

글을 읽고 있는 독자중에 지난 한 달 동안 책을 몇 시간 동안 읽었는지 잠을 몇 시간 잤는지 알고 있는 사람이 있을까..? 없을 것 같다? 오늘 하루 동안 행했던 일을 떠올려 보고, 그중에 자신이 원해서 의도적으로 했던것들이 무엇들이 있었는지 고민해보라. 생각 보다 많은 시간들이 "해야하기 때문에 하게 되는 것"들로 채워져 있을것 같다. 24시간 중에 단 한시간도 "의도적으로 하는 행위"가 없는 경우도 있을지 모른다.

본인이 보고 싶은 '유튜브 영상을 봤다' 하더라도 그것은 의도적인 행위가 아닌 습관적인 취미 생활인 경우가 대부분이다. 아침에 일어나 평소처럼 토스트를 먹는것도 매일 반복되는 일상이라면 의도된 행위가 아니라고 볼 수 있다.

심지어 시간낭비라고 생각함에도 불구하고 많은 시간을 쏟고있는 행위들이 있을 수 있다. 술담배를 하는 시간들이나, 과도하게 SNS를 보는 시간들, 딱히 원하지 않는 사람과 듣기 싫은 잡담을 끊어내지 못하는 시간 등이 습관적으로 낭비되는 시간들이다. 그리고 이러한 시간들은 스스로 얼마의 시간이 낭비되고 있는지는 정말 알기 조차 어렵다.

본인이 일주일 동안 얼마나 많은 시간을 SNS속에서 보내고 있는지 확인하고 문득 놀랐던 기억이 있는가. 매일 4시간씩 SNS를 보고 있는 사람들도 있다. 많은 시간들이 무의식적으로 채워지고 있으며, **우리가 항상 시간이 없는 이유는 "습관적으로" 24시간이 꽉 채워져 있기 때문이다.**

Step 4 <액션>

무언가 바꾼다는 것은 쉽지 않다. 현대시대에는 눈앞에 닥치는 생명을 위협하는 위험이 없기 때문에 더욱 그러하다. 예전에는 눈앞에 갑자기 호랑이나 늑대가 나타나거나, 폭우가 쏟아서 집이 쓸려 내려가 잠 잘 곳 없이 벌벌 떨며 얼어죽을 것을 고민해야 하는 일이 분명히 있었다고 한다. 그런것을 대비하여 짐승과 싸울 힘을 기른다거나 생존에 필요한 고민과 변화가 필요했을 것이다. 하지만, 지금은 그저 9개월 뒤에 있을 시험이 스트레스이며, 출근해서 이런저런 일로 얼굴 찌푸릴 상사가 스트레스이다. 주식이나 집값이 떨어질까 고민이고, 직장을 그만두고 싶어 고민이다.

이러한 것들이 생명을 위협할 정도의 스트레스로 다가오지 않는 것은 사실이다. 시험 따위가 생명을 위협할 수 없으며, 상사는 한 번 두 번 무시하거나 해야 할 것들은 잘해나간다면 문제를 줄이거나 피할 수 있을 것이다. 너무 옛날 시대와 비교하는 것 같지만, 사실 알바만 하더라도

먹고 살 수 있으며, 월세 보증금 낼 돈만 있다면, 따듯한
집에서 잘 수 있다.

'일상의 소소한 스트레스'가 '변화를 위한 노력'보다
감당하기 더 쉽기 때문에, 변화가 필요함을 느낌에도
불구하고, 하던 데로 하고 살던 대로 사는 것이 마음이 더
편하게 느껴진다. 지긋지긋한 직장생활을 그만두고 유튜브나
시작해볼까 하더라도 직장의 '지긋지긋함'이 '유튜브를 위한
노력' 보다는 더 편하게 느껴지는 것과 다름없다.

생각만 하고 말만하고 자신이 많이 알아봤다고 하지만, 정작
시작하지 못하는 이유는 무엇일까? '적당히 만족스러운
평온'을 깨고 '성장하기 위한 노력'이 없는 것은 아닐까?
불확실한 미래를 위해 지금 적당한 만족을 깨는데는 용기가
필요하다.

-시작이 반.-

오늘(첫날)은 효율성이나 옳은 방법, 더 좋은 방법을 찾기
보다는 일단 시작하는 것이 중요하다. 부족하더라도
두렵더라도 시작하는 용기가 필요하다. 책을 출판하고
싶다면 일기라도 한장 적으라는 것이다. 시작만 하면
10년의 여정의 반을 이루고 시작하는 것인데, 잘났건
부족하건 간에 내일 하는 것보다 오늘 하는 것이 비교할 수

없을 정도로 성공률을 높인다. 여기서 '내일 한다.'라는 것은
결국 내일도 하지 못할 거라는 전제이다.

게임 SNS 담배 술 마약 도박 등 자극적이고 중독성이 강한
것들에는 항상 찐막이 있다. 진짜 마지막 진짜 한번더 진짜
내일부터... 진짜 라는 핑계로 벗어나지 못하는 사례들이
수두룩하다. 평생 그 굴레에서 벗어나지 못하는 경우도 있다.
오늘 시작하라. 오늘 알람을 맞추고 오늘 글을 1 문장이라도
적고, 오늘 스쿼 1개, 팔 굽혀 펴기 1개를 해라. 오늘 블로그
1장을 작성하고 업로드하고, 오늘 요가원에 전화해서
회원등록해라.

큰 계획의 일부로 오늘 시작하라.

많은 사람들이 정말로 많은 사람들이 늘 하는 이야기가
있다. "내일부터 열심히 한다." 그렇게 내일이 되면 우리의
상태는 하던 데로 돌아온다. '이렇게 바꾸고 싶은데, 지금은
살던 데로 살 거야. 내일부터 바꿀 거야.' '이런 거 도전하고
싶은데, 지금은 하던 데로 가 좋아. 내일부터 바꾸자. 문제
없잖아' 오늘 하지 않은 사람은 내일 하지 않을 사람이다.

모든 변화, 모든 성공은 시작이 없다면 아무것도 없다.
따라서 시작이 반이라는 말이 있는 것이다. 무조건 액션이
있어야 하고 오늘 그 액션이 시작되어야 한다. 내일이면

안된다. 오늘 할 수 없는 액션이라면 오늘 할 수 있는
액션을 찾아서 거대하고 긴 여정의 일부로 만들어라. 그리고
오늘부터 시작해라. 자리에 앉아 공부하고 생각을 정리하는
행위라도 좋다. 당장 시작하는 것이다.

300평짜리 요가원을 차리기로 했다면, 현실적으로 당장
오늘 요가원을 차릴 수는 없는 일이다. 그렇다면,
새벽요가를 시작하는 방법도 있다. 새벽요가도 내일
시작되야 함으로, 오늘 할 수 있는 일은 내일 아침 알람을
맞추는 것이다. 300평 요가원을 차리기 위해 새벽요가를
하고 새벽요가를 하기 위해 알람을 맞추었기 때문에, 알람을
맞추는 행위는 요가원 차리는 것에 포함된다. 따라서 300평
요가원 원장이 되기 위한 여정의 반이 "새벽 알람"을
맞춤으로서 오늘부터 시작되는 것이다. 알람을 설정하는
행위 따위도 마음 먹기에 따라 엄청난 가치가 있을 수 있다.

따라서 한가지 목표를 정하고 파트 1에서 왜? 어떻게? 뭘?
할지 정리했다면, 그 중에 당장 오늘 할 수 있는 것들을
선별해서 오늘부터 시작해라. 만약 오늘 당장 할 수 있는 게
없다면, 더 찾아라. 찾아서 무엇이든지 시작해야 한다.
단순히 아침에 일찍 일어나는 것이라도 넣어서 **큰 목표에
일부로 묶어서 시작해라**. 변화는 시작됐다. 그것으로 "10년
목표의 반"을 오늘, 단 하루 만에 완수하는 것이 된다.

Step 5 <반복>

생각하고 정리하고 공유하고, 다시 생각하고 정리하고 공유하는 과정은 계속 반복되면서 새로운 생각이 생겨나고, 새로운 관점이 생기고, 새로운 이유와 새로운 계획과 새로운 방법들이 생겨난다. 마찬가지로 행동도 반복됐을때 이 전의 것을 버리고 새로운 변화를 내 것으로 만들 수 있다.

반복은 변화에 있어서 빠질 수 없다. 특정 동기로 변화가 시작될 수 있지만, 변화를 위한 고통스러운 노력의 반복 없이는 작심삼일 해프닝으로 끝나버린다.

변화의 고통을 그냥 별거 아닌듯이 참고 견디는 사람들이 있다. 그런 사람들을 우리는 변태라고 한다면, 변태들은 '그냥' 참고 견디면 된다고 이야기한다. 변태들은 그냥 운동을 하면 몸짱이 되고, 그냥 공부하면 성적이 오른다고 한다. 그런 절제를 배운적도 없고, 타고나지 않은 일반 사람에게는 이 '그냥' 이라는 말이 그냥이 적용이 되지 않는다. 변태들은 도대체 어떤 능력을 타고 난걸까?

그릿(Grit)이란 단어는 2000년대 이후 정의된 인간 특질 중 하나의 것을 말한다. 그릿(Grit)은 자신이 타고난 능력 이상의 것에 도전하고 성취하는 사람들의 비인지적 특질을 말한다. 그릿(Grit)은 관심과 흥미의 지속(흥미유지그릿:

consistency of interest)과 장애물을 극복하는 인내(노력지속그릿: perseverance of effort)로 구성된다(Duckworth et al., 2007; Duckworth &Quinn, 2009). '흥미유지그릿'은 장기간에 걸쳐 목표를 꾸준히 유지하는 능력을 의미하며, '노력지속그릿'은 목표 달성을 위협하는 장애물을 극복하는 능력을 의미한다. (성장신념과 그릿의 관계에서 목표 내용의 역할(임효진||류재준))

변태들은 장애물을 극복하는 능력인, '노력지속그릿'의 능력이 뛰어나다. 따라서 목표를 위해 노력할때 별 고민없이 그것을 지속할 수 있는 능력이 있다. 시험공부를 할때 '그냥' 하루종일 앉아 있을 수 있다는 것이다. 일반인들은 방해가 되는 요소들을 견디는데에 에너지를 뺏기는데에 반해 변태들은 에너지 소비 없이 온전히 성장에만 에너지를 쏟아 부을 수 있는 것이다.

책상에 앉아 있을때 일순간 X가 떠올랐다가 지나가더라도 변태들은 즉시 공부에 다시 집중하지만, 일반인들은 딴생각을 하게되거나 딴생각을 하지 않기 위한 노력으로 에너지를 뺏긴다. 어떻게 불필요한 에너지 소모를 줄이고 효율적으로 목표를 향해 나아갈 수 있을까?

-장애물 극복-

1년간의 변화를 만들기 위한 단 한 가지 방법은 당장 지금 이 순간을 컨트롤 하고 매 순간을 의식적으로 선택 하는 것 뿐이다. 익숙함을 버리고 스스로 선택해서 변화한다는 것은 고통의 연속이다. 다시 말해 고통이 없다면 변화도 없다.

인간에게 본능적으로 주어진 "편안함을 선택 하도록 만들어진 프로세스"를 이겨내야한다.

고통을 선택하는 것보다 안락함을 선택하는 편도 괜찮다. 다만, 어떠한 성장의 기대도 하지 않는 것이 좋을 것이다. 욕심 많은 게으름은 가장 고통스러운 불행을 낳는다. 욕심이 있다면 성장의 고통은 피할 수 없는 산이라는 것을 알아야 **한다.**

"그릿(Grit)은 타고나지 않았더라도 신중한 연습, 성장 마인드셋 및 지원 환경을 통해 개발 될 수 있다."라고 한다. Duckworth, AL, Peterson, C., Matthews, MD, & Kelly, DR (2007).

하루는 24시간으로 한정되어 있음으로 무언가 시작하기 위해서 비워낸 것들이 있을 것이다. 아침에 일찍일어나 요가를 하고자 한다면, 아침 잠을 줄여야하고, 그럼 일찍 자야할 수도 있고, 밤에 보통 하던 활동들은 자연스럽게 줄어든다. 매일 습관적으로 했던 그 활동들은 당신이 일방적으로 차버린 애인처럼 끈질기게 돌아오려 할 것이다. 익숙함으로 돌아가고 싶은 마음, 전애인과 같은 습관에 대한 편안함과 익숙함 등 여러 감정에 흔들릴 수 있다.

그것을 절제하고 새로 시작한 것들과의 시간을 반복한다면, 변화가 시작되는 것이고, 새로운 애인을 사귀는 것과 같다. 그렇지 못하면 작심삼일은 금방 지나고 차버린 애인이 돌아와 하루를 익숙했던 시간들로 가득 체워 금세 이전의 삶으로 돌아가게 될 것이다.

노력지속그릿(Grit)은 이러한 절제력을 강하게 만들어 주며, 의도적으로 선택한 것들과 시간을 보내는 데에 도움을 준다. 이 능력을 강화하기 위한 마인드 셋을 알아보자. 이 마인드 셋은 마음속에서 외치는 '그만 포기하라'는 소리를 절제하고 노력을 지속할 수 있도록 돕는다.

했다.

86세 노인이 80세를 넘기면서 부터 "본인이 늙었다."라고 생각이 들었다고 한다. 그리고 프랭크 운동을 시작했다고 한다. 처음에 10초 하는 것이 힘들어서, 일주일에 1초씩 늘리면 1년 뒤면 1분 할 수 있지 않을까 하는 생각에 매일 플랭크 운동을 했다. 그는 매일 운동을 하며 "아 11초 오늘 했다." "아 12초 오늘 했다."라며 만족스럽게 운동했다고 한다. 그는 나이를 막론하고 아직도 배울것이 무척 많다고 말한다. 86세의 나이임에도 불구하고 매일 "했다."라는 것에 만족하며 1년을 버티며 성장할 수 있었다고 한다.-유퀴즈

첫번째로 가져야 할 마인드는 '했다는 것' 자체에 만족하는 것이다.

현대 삶은 짧은 순간의 INPUT(투자, 노력)과 즉각적인 OUTPUT(보상, 만족)에 익숙해져 있다. 게임, SNS, 벼락치기, 쇼츠, 릴스 등 즉각적인 보상이 나오는 것에 익숙해져 있고, 심지어 장사꾼들도 탕후르 같이 치고 빠지는 돈벌이에 익숙해지기도 한다. 독서를 한다거나, 몇 달 동안 공부를 해서 창업을 한다거나 등의 즉각적인 보상이 주어지지 않는 것에는 익숙하지 못한 것 같다. 병든 고기가 가득한 우물에 바늘을 넣자마자 입질이 오는 낚시에만 익숙해져 있는 것과 같다.

삶은 평생 지속되는 아주 긴 여행과 같다. 삶에서 큰 변화가 있는 시기는 성인이 되어 독립하거나, 결혼을 하거나 가정을 이룰 때 등이 된다. 그 길은 아주 긴 여정의 시작이다. 환경이 변하고 책임이 달라질 때, 그 안에서 변화를 원하고, 이루고 싶은 목표가 생길 때, 보상은 하루 아침에 일어나지 않는다. 그러므로 이 긴 여정에서 즉각적인 보상이 없을 수도 있다는 것을 미리 알아야 한다.

보상이 없어 보이는 이 여정을 지속하기 위해서 "오늘도

했다."라는 것 자체에 만족하는 마인드와 반드시 주어질 거대한 보상에 대한 믿음과 기대를 갖는 것이 도움이 된다. 오늘도 "했다." 그렇다면 분명히 "될 것"이다.

다이어트를 하고 있다면 오늘 운동 목표치를 모두 달성하지 못했더라도, 식단 조절을 완벽한 수준으로 완료하지 못했더라도, 당장 10분이라도 운동하고 "했다." "오늘도 했다."라고 생각해라. 글을 쓰고 있다면 잠들기 전 스마트폰 한두줄이라도 적고, "했다." "오늘도 했다."라고 생각해라. 0와 1은 너무나 큰 차이를 보인다. 그리고 아무리 적은 발전이라도 그 성장에 만족한다면 그 만족감이 주는 힘은 엄청나다.

할거야

두 번째로 가져야 할 마인드는 '할 거야'라고 생각하는 것이다.

많은 사람들이 특히나 한국사람들은 습관적으로 문화적으로 '해야 된다.'라는 말을 많이 한다. '내일 일찍 일어나야 돼.' '나 밥 먹어야 돼.' 심지어 친구를 만나러 가면서도 '친구 만나러 가야 돼.'라는 표현을 한다. 이런 말을 들으면 솔직히 안타깝다. 친구를 만나러 가야만 한다니, 도무지 이해가 안되는 사고 방식이지만, 현실이 그렇다. 무의식적으로 해야만 한다는 강박에 놓여 있으며, 스스로 선택하면서 '~해야해'라고 말한다면, '해야만 한다'는 스트레스는 뇌에 차곡차곡 중첩 되고 있다.

아침에 일찍 일어나기로 했다면, "일찍 일어나야되." 대신에 "일찍 일어날 거야."로 바꿔보는 것이 스트레스를 줄이고, 더불어 스스로 선택한 것에 대한 책임감을 가질 수 있다. 친구와 늦은 시간 함께 있다가도 이야기해보라. "혹시 잠 안와? 나 이제 자고 싶은데, 먼저 자러 가도 될까?" 이러한 말에는 의지가 담기고 힘이 실린다. 이런 말은 스스로에게 했을 때에도 힘이 된다.

자기 전에 누워서 되뇌어보자. ~~"내일 5시에 일어나야되"~~ "내일 5시에 일어날거야." 자야만 하는 스트레스만 줄어도 잠이 더 잘 올 것이다.

원래

세번째로 가져야 할 마인드는 '원래 힘들다.'라고 생각하는 것이다.

 기존의 것을 새롭게 바꾸는 것은 원래 누구나 힘들어 한다. 아침에 평소보다 일찍 일어나는 것은 정말 힘이 든다. '왜 이렇게 힘들지.' '아 정말 힘들다.' '나는 왜 이렇게 못 일어날까?' 이렇게 생각하는 것보단, "아침에 일어나는 거

원래 힘든 거야." "나만 그런 게 아니라." "그냥 원래
힘들어."라고 생각해 보아라.

일찍 일어나는 것은 누구에게나 "원래" 힘든 것이다. (매일
새벽 해가 뜰 때, 잠에서 깬 맹수들이 인간을 찾아 위협하지
않는 이상,) 매일 새벽 일찍 일어나는 것은 부자연스럽고,
불필요하고, 지독하게 힘든일이다. 고통스러운 일이다.
무조건 일어나야만 할 때까지 5분이라도 더 자다 일어나는
것이 본능적으로 편안한 선택임을 우리의 몸은 알고 있다.
평소보다 일찍 일어나는 것은 "원래" 힘든 일이다.

'왜 나는 아침에 이렇게 일어나는게 힘들까?"라는 생각은
잘못 된 생각이라는 것이다. 누구나 원래 힘들며, 누군가는
참고 견디고 있고, 누군가는 습관으로 만들어 항상 그시간에
일어나게 됐을뿐이다. 나에게만 그렇지 않다는 것을 알고,
내가 스스로 힘든 변화를 선택했음을 알자.

정말 힘든 일을 '해낼 수 있다.'라는 자신감과 해냈을때
'성취감'이 생길 것이다. 이러한 생각은 결심한 바를 더욱
오래 지속할 수 있는 힘을 주고 스트레스를 줄이고
성취감을 준다. 변태들은 이러한 작용을 무의식적으로 알고
있으며 '그냥 긍정적으로 생각해봐'라고 이야기 한다. 그들이
말한 긍정은 이러한 생각이었던 것이다. "원래 힘든건데,
(긍적적으로) 난 할 수 있어."

Step6 <지속>

지속하는 힘 또한 타고나는 변태들이 있다. 한가지 취미를
몇년 동안 즐기고 있는 사람들도 있고, 했던 것을 반복하는
것에 지루함을 느끼지 못하는 사람들이 있다. 심지어 장기간
활동하는 모임이나 취미가 여러가지가 있는 경우가 많다.
골프도 당구도, 커피도, 등산도 예전에도 지금도 취미로
즐길 수 있는 것이다.

한가지만 유년시절부터 노인이 될때까지 지속해서 할 수
있는 사람을 보면 얼마나 존경스럽던가. 그러한 사람을
장인이라 불렀는데, 장인은 독일에서 마이스터라고 하며,
독일에서 장인은 단순한 기술자가 아니라 시민들의 존경을
받는 하나의 사회 계층이며 도시의 지도층 인사였다고 한다.

이들은 운이 좋아서 영원히 질리지 않는 무엇을 찾았던
것일까? 별 다른 선택이 없었기에 지속할 수 밖에 없던
것일까? 독일의 길드/장인-도제 제도가 현대에 고스란히
전수된 형태가 대학원/교수-대학원생 제도인데, 그로 봤을때
장인들도 여러 부류가 있었을 것으로 생각된다.

-흥미유지-

여행을 떠나도 한곳에 오래 머물다 보면 새로웠던 곳도
일상생활의 일부가 되어 버린다. 변화를 위해 새로운 습관을
만드려한다면 처음에 흥미로웠던 것들도 점차 일상이 되고,
포기하고 싶은 생각이 들 수 있다. 그럴때는 흥미를 다른
흥미와 연결함으로서 흥미롭게 나아가는 힘을 기를 수 있다.
먼고 험한길을 갈때는 혼자 달려 가기보단 둘이 걸어가는
것이 빠르다.

요가원을 차리기위해 매일 새벽 운동을 다니고 있다고
상상해보자. 몇일은 설렘과 기대로 절로 아침에 눈이 떠질지
모르겠으나, 시간이 지남에 따라 아침에 눈을떠 멍하니
고민하는 시간이 생길것이다. "쉴까?" "어제 열심히 했지."
"저녁에 갈까?" 새벽 운동에 대한 흥미가 익숙해지고 기대와
설렘보다는 이전에 편한함과 안락함에 대한 만족이
커져가고 있는 것이다.

이럴땐 새벽시간에 좋아하는 취미를 하나 더 추가하는
방법이 있다. 매일 새벽 일어나 따뜻한 차를 마시는 시간이
될 수도 있고, 요가원을 가기 전에 강아지와 10분 산책을
하는 시간을 만드는 방법도 있다. 두가지 취미는 새벽시간을

보내는 것으로 연결되며, 둘 중 한가지가 정말 하기 싫은 날에도 다른 한가지를 하기 위해 새벽에 일찍 일어나는데에 힘이 될 수 있다.

다이어트를 하는 중에도 살빼는 것에만 집중하기보다는 일부러 사이즈가 작은 옷을 한벌씩 사면서 옷에 취미를 두는 것도 좋다. 또는 근육량을 늘리는데에 취미를 둘 수도 있고, 수영에 취미를 두어 의식적으로 몸을 관찰 하는 환경을 만들 수도 있다. 역시 여러가지 취미가 맞물려 서로 밀고 당기며 흥미를 유지하는데에 큰 힘이 된다.

자기객관화

본인의 하루 24시간을 어떻게 소모하고 있는지 자세하게 알고 있는 사람은 극히 드물다. 이것을 아는 것은 자기객관적인 시선을 제공한다. 내가 어떤 일주일을 보내고 있는지 객관적으로 말 할 수 있는 사람은 대게 없으며, 시간이 지날 수록 왜곡될 수 **있다.**

과거를 회상할때 기억에 의존하게 되면 그곳에는 주관이 들어간다. 힘들일은 길고 긴 시간이 되고, 즐거웠던 일은

과장된다. 하지도 않았던 일도 사실이 되곤한다. 육아
시간은 실제로 그렇지 않았더라도 하루 20시간을 아기만 본
것 같다는 생각을 하게 되고, 게임방에서 보낸 주말 시간은
기억 저 편으로 사라진다. 실제로 몇시간 육아를 했는지,
몇시간 게임을 했는지는 객관적으로 기억하지 못한다.

하루 24시간을 기록하는 것은 객관적으로 나의 하루를 볼
수 있으며, 지난 시간을 데이터화 할 수 있다. 쉬는
시간부터, 이동시간, 노동시간, 자는 시간과 일어나는 시간
일거수일투족을 모두 적었다. 좌측에는 날짜. 상단에는
5시부터 5시 24시간을 24칸으로 나누어 매시간 행위를
기록했다.

일반적으로 변화를 하기 위해 매일 해야할 것들을 적고
목표를 세분화해서 계획한다. 하지만 이러한 것들은 오히려
행동에 제한을 두고 압박감을 만들기도 한다. 먼저 지난
과거를 객관적으로 보기 위한 자료를 만들어 보는것으로 내
시간을 정리했다.

다음은 성장달력 작성의 세가지 예시이다.

직장을 다닐 당시 작성한 달력

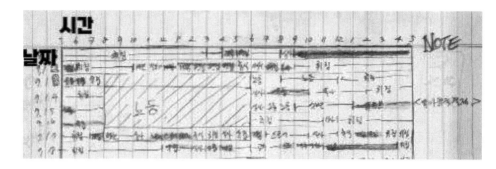

육아 휴직 중 작성한 달력

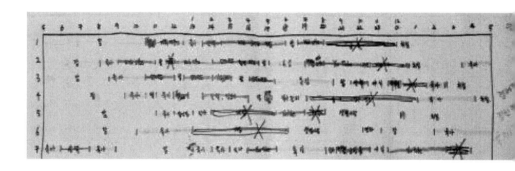

1박2일 놀러 갔을 때 달력

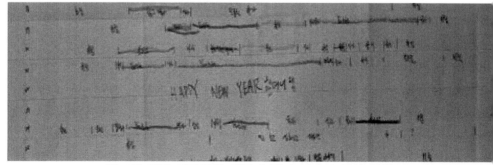

1박 2일 빈칸 기간동안 할머니 댁 놀러가서 작성 안함.

예시를 보면 알겠지만, 개인에 맞게 솔직하게 보내는 시간들을 어떻 활동을 했는지 가능한 자세하게 기록하면 된다. 내가 개인적으로 보기 위해 정리 한 것임으로 내용은 간략하게썼다. 예를 들어 친구를 만나 술을 마시면 친구 이름과 함께 술이라고 적었고, 육아에 관련된 모든 시간은 육아라고 적었다.

알아 볼 수 없을 것 같아 미안하지만, 객관적인 기록의 취지에 맞게 자신만 알아 볼 수 있게 작성되면 된다.

시각화

1,2주 지나 달력이 어느 정도 채워지면, 어떤 하루하루를 보내고 있는지 명확하게 알 수 있게 된다. 나는 보기 쉽게 시각화하기 위하여, 색칠을 했다. '없애고 싶은 습관'과 '만들고 싶은 습관'을 각 검은색 빨간색으로 또는 각자 기준에 맞추어 색칠해 보자.

필자의 경우 없애고 싶은 습관 검정색, 육체적 활동(운동, 복싱 등) 노랑색, 정신적 활동(산책, 명상, 독서 등) 초록색, 경제적 활동은 빨간색으로 표시하며 시각화시켰다. 일단 모아서 분류하고 시각화하면, 그동안의 자기 합리화와 언행불일치가 보일 것이다.

게임과 술 등은 검정색으로 칠해졌고, 복싱장에 있던 시간은 노란색으로 칠해졌다. 색이 칠해지면서 시각적으로 어떤 한달을 보냈는지 파악이 가능했다.

데이터가 쌓이고, 액션이 즉각적으로 적용되고, 바로바로
시각화가 가능해지면 색을 채워나가는데에도 재미가 생긴다.
액션들이 색을 결정함으로 특정액션=특정색 으로 동일시
된다. 액션의 흥미가 떨어질때 색을 채우고 싶은 마음으로
흥미를 유지하는데에도 도움을 줄 수 있게 **된다.**

**첫번째 두번째 참고 사진을 보면 검정색 부분이 더러
보이지만, 세번째 사진은 검정색이 확연히 줄었다는 것을 볼
수 있다.**

습관 - 흥미 / 혐오 만들기

새롭게 만들고 싶은 습관이나 줄이고 싶은 습관이 있다면,
달력에 적어두고 만들고 싶은 습관은 빨강색, 없애고 싶은
습관은 검은색으로 칠하라.

 생각이 날 때마다 변화를 확인하고, 전날보다 나아지도록
해라. 하루에 한 개씩, 1분이라도, 1번만이라도 늘리고,
줄이는 것이다. 이를테면, SNS시간은 하루 1분이라도 덜
할수있도록 줄이고, 운동은 객수를 1개라도 더 많이 할 수
있도록 늘리며 기록하는 것이다.

빨강색으로 색을 칠할때는 행복감과 만족감을 느끼고

검정색을 칠할때는 혐오감을 느끼며 반성하면 더욱 도움이
된다. 만약 그렇게 생각 되지 않았더라도 그렇다고 치고
기록을 하다보면, 빨강색 행위를 하기 위한 고통은 행복과
만족감으로 바뀌고, 검정색을 할때의 쾌락은 점점 혐오로
바뀔 것이다. 색칠 할때의 혐오(재미)는 해당 행위를 할때의
혐오(재미)와 연결이 된다.

한 달을 채우면서 변화를 직접 눈으로 확인할 수 있다면,
흥미유지 그릿(지속력)이 더욱 강해진다. 새벽 운동을
나갈때 다른 흥미로운 취미를 더하여 흥미+흥미로 지속할
수 있는 힘을 기르는 것과 같은 맥락으로 지속하고 싶은
취미과 그 행위를 했을때 특정색으로 하루를 채워가는
취미가 더해져 지속력이 생긴다.

달력을 원하는 색으로 채우기 위해 하루를 더 열심히
살아가게 만들어 주기도 한다.

Step7 <적사성성>

한사람의 주변 환경은 그 사람의 습관과 성품에 따라서
주어진다. 운동하는 습관이 있다면, 아침 일찍 조깅을
한다거나, 수영장을 다닌다거나 운동하는 모임을 갖는 등
운동하는 환경에 자주 노출이 된다. 책을 읽고 글을 쓰는
습관이 있다면, 책방에 자주 간다거나 독서모임에 참석하는

등 대부분 비슷한 성품의 사람들을 주로 만나게 된다.
심지어 SNS는 개인이 습관적으로 찾는 것들에 연관있는
것들을 우선적으로 노출시킨다.

생각은 곧 말이 되고, 말은 행동이 되며, 행동은 습관으로
굳어지고, 습관은 성격이 되어 결국 운명이 된다.

-찰스 리드 Charles reade, 1814~1884 -

생각이 쌓이면 말이 되고, 말이 쌓이면 행동이 된다. 행동이
반복되면 습관이 되고, 습관이 지속되면 성품이 된다.

평소와 다른 행동을 하게 되면 주변에서 "오늘따라
이상하다."고 반응 하기 마련이다. 하지만 그런 행위가
반복되고 오랜시간 지속되면 사람들은 "너, 변했다."라고
이야기 한다. 실제로 변화는 나 조차 의식 하지 못했을때,
이미 변해 있는 경우가 많다.

성격

성격이라는 것은 무엇을 의미 하는 걸까? 이에 대하여 많은
철학자들이 정의를 내린다. 이를 종합해서 정리해 보면

'일시적인 것이 아닌 항상성을 지니는 심리적 체계를 의미'한다고 볼 수 있다.

A라는 사람이 있다고 하자. A는 사람들이 많은 곳을 좋아하고, 사람들이 모이는 자리에서 항상 앞장서서 이야기하는 사람이다. A는 특정 상황에서 그러한 행동을 하는 것이 스스로를 안정적이게 느끼게 하고, 효율적이고, 이롭고, 유리하고, 좋은 심리적 체계라고 생각하는 것이다. A와 같은 부류의 사람들을 외향적인 성격이라고 한다.

 B라는 사람은 매일 아침 6시에 일어나서 산책을 하고, 그날의 신문을 보고 방정리와 집청소를 하고 아침을 먹고 하루를 시작하는 사람이다. B라는 사람은 그렇게 매일 행동하는 것이 스스로에게 안정감을 주고 좋은 삶의 방향이라고 무의식중에라도 생각하는 것이다. 대부분의 사람들은 B를 부지런한 성격이라고 생각 할 것이다.

B는 술을 먹거나 늦게 자거나 바쁜하루를 보냈어도 아침이면 일찍 눈이 떠지고, 평소 하던 일을 한다. 이런 패턴은 이미 B에게 습관화 되었고, 알람이 없어도 무의식적으로 일찍 일어나는 생체 자동화가 된 것으로 볼 수 있다. 일반적으로 사람들은 B의 그러한 모습을 보고 B는 그런 부지런한 성격을 가지고 있다고 생각하고 말한다.

내게 일어난 변화 중 하나는 성격을 바꿀 수 있다는 것을 보여준다. 대학시절 여러가지 동아리활동을 하고, 술을 매일 같이 마시며 수 많은 사람들과 어울리고, 학생회장을 했으며, 현대카드에서 영업을 했던 나는 A의 부류의 사람과 닮았고, 주변인들은 나를 볼 때 외향적이라 했었다.

요즘 집에서 아기를 보며, 아침에 일어나 산책을 하고 글을 쓰고, 책을 읽고, 술을 가능한 적게 마시고, 말이 없고, 듣는 습관을 들인 나의 전과는 달라진 모습을 보는 사람들은 나의 MBTI를 I(내향적)일 것 같다며 확신한다.

20대 초반에는 이런한 부류의 성격테스트에서 항상 외향적이라는 결과를 받았지만, 지금은 실제로 MBTI를 하면 I가 나온다. 성격은 반복되는 습관에서 비롯되는 것이다. 같은 성향의 습관이 쌓이면 그러한 성향의 성격은 짙어진다.

일반적으로 선천적인 성격은 12세 이전에 대략 생성되며 근본적인 성격은 잘 변하지 않는다고 한다. 하지만 성격은 충분히 바뀔 수 있으며, 다만 장기적이고 체계적인 노력이 필요할 뿐이다. 변화의 프로세스는 단순히 아침에 일찍 일어나는 습관을 만들 수도 있지만, 성격도 바꿀 수 있는 도구이며, 자신을 컨트롤 할 수 있는 무기가 될 수 있다.

무의식

무의식은 크게 두가지로 분류할 수 있다. 첫 번째 무의식은 '의식하는 것을 두려워하거나 의식하기 싫어서 외면하는 것.'이고 다른 하나는 의식되지 않는 일종의 '자동화된 사고'를 말한다. 후자는 프로이트의 심리학에 따르면 '적응적인 형태의 정신적 분업'에 해당된다고 하는데, 이를 쉽게 풀면, 무조건 내게 옳은 결정이기 때문에 의식도 하지 않고 결정할 수 있을 만큼 적응 됐다는 말이다. '생각 조차 할 필요 없이 하던 데로 하면 맞아!'라고, 이 생각을 뇌가 담당 하고 판단하는 것이다.

매일같이 무의식적으로 화장실에서 SNS를 봤다면 그건 성격화 되어버린 습관이다. '생각 할 조차 없이 화장실에 갈때 스마트폰을 챙겨가게 된 것'이다. SNS를 보는 대신에 책을 보는 습관으로 바꾸기 위해서는 당연히 많은 시간과 노력이 필요하지만, 앞서 이야기 했듯이 분명히 바꿀 수 있다.

시간이 지나면서 의식적으로 하던 행동들이 습관적으로 행동하게 되고 결국 무의식적으로 하게 된다. 주변의 반응도 달라지는데, 특히 새롭게 만나는 사람들이 이전에 만난 사람들과는 다르게 나를 보게 된다는 것이다. 이즘이 되면, 오히려 그전의 성격으로 돌아가기 힘들어질 때도 **있다.**

최고버전의 "나"

현재의 나의 모습은 어떻게 이런 모습이 되었을까? 생각해
본적이 있는가? 그냥 이렇게 태어났기 때문에? 이러한
부모를 만나 이런 곳에서 자랐기 때문에? 분명한
사실이겠지만, 스스로 선택한 것이 없다면 너무 슬프지
않은가? 알게 모르게 모두 본인이 선택한 결과이다.

내가 오늘 하루를 보내며 했던 모든 행동중에 내가 정말
원해서 간절히 원해서 매일 하고 있는 행동이 무엇이
있는지 돌아보자.

나는 흘러흘러 여기까지 왔는가. 수풀을 헤치고 길을 만들며
왔는가.

우리가 이 책을 읽음으로서 추구해야 할 목적지는 5년 뒤
'나'이다.

현재 '나의 하루'와 '나의 습관'을 결정할 수 있다면, '5년 뒤
나'는 '현재의 나의 결정의 결과'라 할 수 있다. 현재의
'나'가 그렇듯이 미래의 '나'는 결정된 바 없고, 내가 스스로
선택할 수 있다는 것이다.

매일 30분씩 이 책이 쓰이고 있는 것처럼 매일 시간을
보내는 것과 지속적으로 하고 있는 것들은 언젠가
퍼포먼스를 보일 것이다. 난 책을 써본 적이 없고, 책을
어떻게 출판하는지 누가 내 책을 읽게 될지 알지 못하지만,

하루에 30분 이상 글을 적고 있음으로 언젠가 나의 책이 출판될 거라는 확신이 있고 그 미래는 내게 '보인다.'고 말할 수 있다.

미래의 '나'를 다른 버전의 '나'로 선택할 수 있다면, 어떤 '나'를 선택하고 싶은가?

달력을 적으며 자기를 객관적으로 볼 수 있고, 미래를 볼 수 있게 된다면? 지금 절제하는 고통은 지속하는 즐거움이 되고 앞으로의 변화는 달콤한 만족과 설렘이 될 것이다. 현재는 어떤 버전의 '나'로 살고 있는가?

이 책을 통해 조금이라도 더 높은 버전의 '나', 최고 버전의 '나'가 될 수 있기를 바란다.

<성장 달력 가이드>

1. 지나간 과거를 시간과 날짜에 맞게 기록한다. 솔직하게 있는 그대로 기록하는 것이 중요하다.(미래계획 적는 것이 아님!)

2. 바꾸고 싶은 습관,성격,모습 등 <목표>를 "우측 상단"에 적는다.

3. <목표>를 위해 소비한 시간을 "우측"에 날짜에 맞게 기록한다.(미래계획 적는 것이 아님! 지난 과거의 결과를 적는다.)

4. 지난 기록을 색깔별로 시각화 한다. 의도한대로 통제하지 못했던 시간은 어두운색으로 시각화하자.

-예시1) 만들고 싶은 습관 [빨강], 없애고 싶은 습관 [검정]

-예시2) 정신적 활동[노랑], 육체적 활동[초록], 경제적 활동[빨강], 시간낭비[검정]

5. 습관이 생기고 변하는데는 88일, 성격이 바뀌는데는 더 오랜 시간이 걸린다. 최소 3달을 기록한 후 지난 달력들과 이번달 달력을 비교 하며 새로운 목표를 설정한다.

<작가>

래프팅가이드, 경영전략학회, 대학 학생회장, 카드사 영업,
수학 과외 3년, 5년간 세계여행, 사진전, 영상 편집, 다큐
제작 총괄, 스쿠버다이빙 보조강사, 쉐프, 게스트하우스 운영,
액세서리 제작 판매, 아일랜드 가이드, 해외여행 인솔,
모바일 게임 기획, 타투이스트, 정수기 설치 및 수리, 유튜브
채널 운영, 출판.

<소개>

연세대학교 자퇴, 5년간 세계여행 후 돌연 결혼식 없는 결혼
및 아이를 낳았다.

각자에게 좋은 것은 있을지라도 누구에게나 좋은 것은
없다고 생각한다. 그럼에도 불구하고 사람들을 '좋은
방향'으로 변화시키는 꼰대 같은 일을 즐긴다. '변화하는
방법'에 관한 책을 적는 것이 좋겠다고 생각한 것은 내게
좋았고, 나와 비슷한 사람에게도 좋은 방법이기 때문이다.

내 삶의 변화에 가장 강력한 동기는 언제나 가족이었다.
변화를 원한다면, 이 책을 통해 현실적이고 즉각적인 효과를
느낄 수 있을 거라 기대한다.

책을 읽는 시간이 독자분들께 의미 있는 시간이 될 수
있도록 노력했습니다. 글을 통해 원하시는 '좋은' 방향으로
한발 더 나아가시기를 간절히 바랍니다.